神奇的石头

孙静编/吴飞绘

长江出版社

图书在版编目 (CIP) 数据

神奇的石头 / 孙静编；吴飞绘 . — 武汉 : 长江出版社 , 2015.1
（奇妙的科学）
ISBN 978-7-5492-3133-1

Ⅰ . ①神… Ⅱ . ①孙… ②吴… Ⅲ . ①石—儿童读物 Ⅳ . ① P5-49

中国版本图书馆 CIP 数据核字（2015）第 033276 号

奇妙的科学·神奇的石头

QI MIAO DE KE XUE SHEN QI DE SHI TOU

神奇的石头   孙静 编/吴飞 绘

责任编辑： 高　伟
装帧设计： 新奇遇文化
出版发行： 长江出版社
地　　址： 武汉市解放大道1863号   **邮　编：** 430010
E－mail： cjpub@vip.sina.com
电　　话：（027）82927763（总编室）
　　　　　　（027）82926806（市场营销部）
经　　销： 全国各地新华书店
印　　刷： 武汉鑫佳捷印务有限公司
规　　格： 787mm×1092mm   1/16   2 印张
版　　次： 2015年1月第1版   2015年3月第1次印刷
ISBN 978-7-5492-3133-1
定　　价： 12.80元

献给孩子的《奇妙的科学》

你是一个热爱科学的孩子吗？你梦想过成为一名科学家吗？

你了解我们的国宝大熊猫吗？你知道沙漠里生活着什么动物吗？你想过去海底世界畅游吗？

如果你立志成为一个热爱科学的人，那么从今天开始，来了解我们身边的世界，探索大自然的奥秘吧。

我们为热爱科学的孩子创作了这样一套《奇妙的科学》绘本。在这里，你可以触摸到可爱的动物、神奇的植物，还有好多神秘而又有趣的知识呢；在这里，你可以读到很多精彩的故事，可以欣赏到美丽而精致的画面。

更重要的是，这里的故事蕴藏着宝贵的科学道理。书中有"成长笔记"和"延伸阅读"两个小栏目，它们会像指路明灯一样指引着我们，走近科学，爱上科学。

好吧，让我们一起翻开书，一起走进知识的海洋吧！

高高的山顶上有一块非常大的石头，他每天都在欣赏风景中打发时间，生活过得无忧无虑。可是突然有一天，石头看见一只老鹰在天空中展翅飞翔，很是威风，便心想："为什么我不去做一些有意义的事情呢？"

3

很多天过去了，石头实在是太无聊了，于是决定下山去看看。
他倾斜着身子，向山下滚去，"咕咚咕咚，咕咚咕咚……"。

过了好久，石头才滚到山脚下。山下的生活很快乐，青蛙、野兔和蝴蝶都成了他的朋友。

这天，一群村民发现了石头，他们围着他左看看，右瞧瞧，忍不住感叹道："真是一块好石头啊！"

成长笔记

　　几千年前，我们的祖先是用石头来生火的。

9

最终，石头被分成了许多块方方正正的石块，石块又被运回村子砌成了石桥。石桥建成的那天，村子里非常热闹。村民们都说："有了石桥，过河再也不用绕很远的路了。"

石桥为村民们提供了便利，而余下的石块并非毫无用处。

每天清晨，村里的妇女都会到河边洗衣服。她们将衣服放在石块上，然后用木棍敲打，衣服很快就被洗干净了。

看着村民们来来往往，辛勤劳动，石头感觉心里暖暖的。

时间一天天过去，小村庄也慢慢改变了模样。一栋栋楼房拔地而起，汽车也越来越多。终于有一天，钢筋水泥桥取代了石桥，那些被拆毁的石块被遗落在河的两岸。

现在，石头又变小了很多。

成长笔记

　　地面上的石头会受到天气和气候的影响，长期冷热交替，会使石头开裂破碎。

16

就这样，石头在河边待了很多年。

有时候，太阳晒得他浑身发热；有时候，他又在
风雨中冷得发抖。慢慢地，石头越来越小。

变小了的石头散落在河里，河水从他身上流过。随着时间的推移，石头被磨去了棱角，变成圆圆的光滑的卵石。

成长笔记

河水流过，与石头发生摩擦，长时间的冲刷会使石头变成圆圆的卵石。

　　一个偶然的机会，石头又被一位老爷爷带回家，和许多卵石一起铺在了院子里的一块空地上。每天晚饭过后，老爷爷都要赤着脚在那块卵石地上散步，据说这样可以按摩脚下的穴位，有益身体健康。

又过了几年，在雨水的冲刷和太阳的炙烤下，石头碎成了更小的小石子。石头现在比豌豆还小了，他安静地躺在院子里。

成长笔记

　　鸡、鸭等飞禽类动物没有牙齿，它们会吃掉一些细小的石子儿，在胃里，利用小石子儿的滚动磨碎食物。

一个晴朗的日子，一只刚吃饱的母鸡看到了石头，欣喜地说："石头，石头，让我吃了你吧，好帮我消化食物。"

石头得知自己还有这个作用，便毫不犹豫地点了点头。

"咯咯咯"，母鸡啄起石头，仰着脖子将他吞进了肚子里。

母鸡的肚子很温暖，石头每天都努力地帮助母鸡磨碎食物。偶尔，他也会想起自己曾经在山顶傲视万物的时候。这一切真的太神奇了！

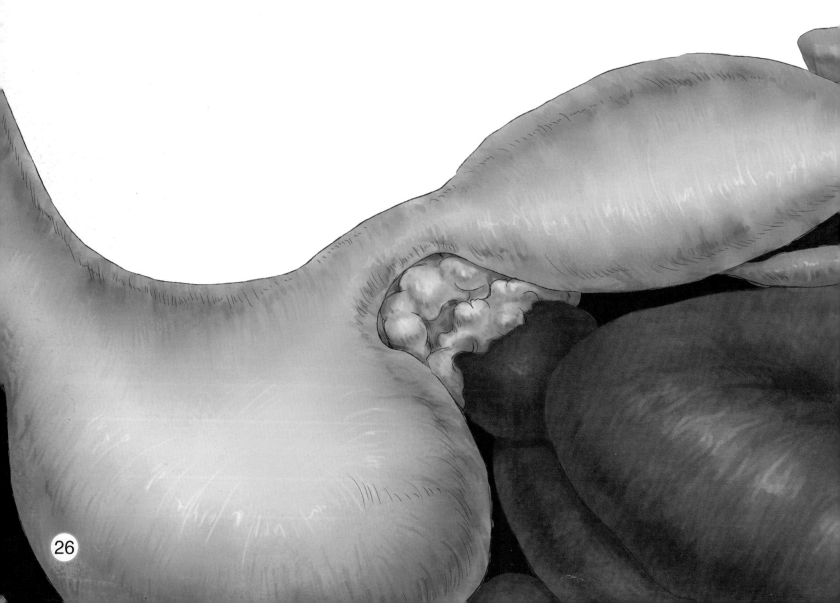

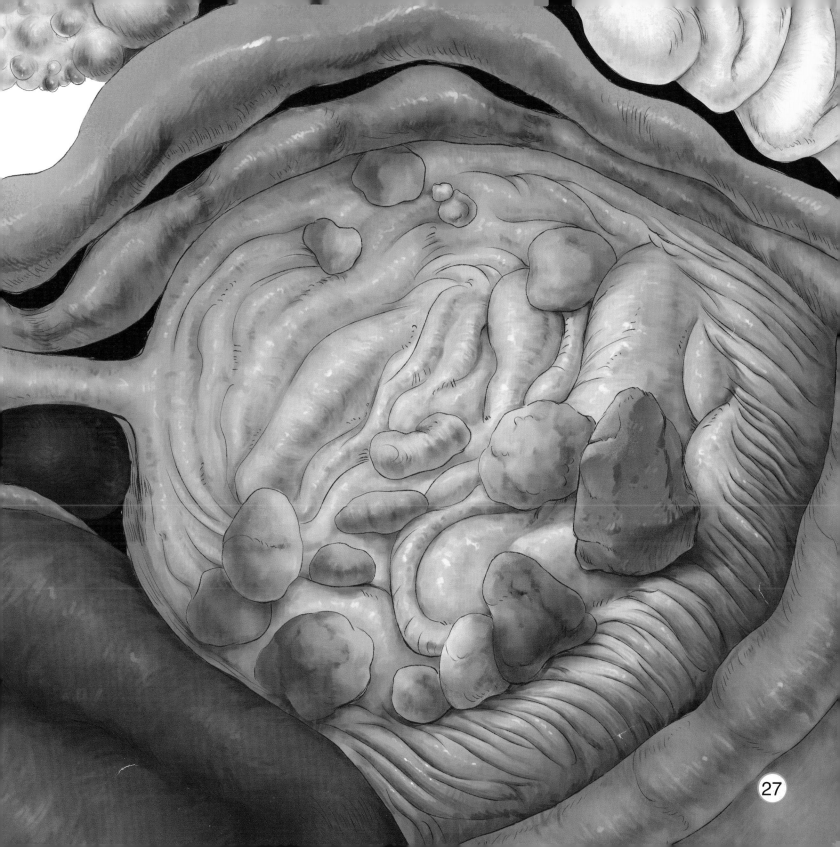

那些有特异功能的 石头

会发光的石头

萤石就是一种会发光的石头。它本质上是一种矿物，在紫外线的照射下，会发出蓝绿色的荧光。

最软的石头

目前人类已知的最软的石头是滑石，用指甲就可以将它划出痕迹。滑石一般为白色，略微带点绿色，摸起来十分润滑。

可以浮起来的石头

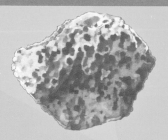

浮石是火山爆发的产物，它的内部结构呈蜂窝状，里面有大量的空气，再加上体重很轻，因此可以漂浮在水面上。

奇妙的科学

《奇妙的科学》绘本的四大特色

★ 这是一套专门为3~9岁小朋友编写的优秀科普读物。

★ 选取的都是小朋友最感兴趣的主题，包含了动物、植物、天文、地理等多个领域。

★ 语言生动活泼，再配以精致的插图，使全套书达到故事与科学的完美结合。

★ 书中精心设计了"成长笔记"和"延伸阅读"两个小栏目，有助于激发小朋友探索科学的兴趣。